JEAN-GUY BÉDARD

conseiller techniq...

SANTĒ ET JOIE DE VIVRE PAR LE SKI de randonnée

(3e édition révisée, 1977)

1083 Van Horne, Montréal, Qué. H2V 1J6

Dépôt légal — 4e trimestre 1974
Bibliothèque nationale du Québec

Dessins graphiques de René Delahaye

préliminaires

LE SKI DE RANDONNÉE AU QUÉBEC

Depuis cinq ans, un nombre croissant de Québécois de tout âge apprennent à goûter les joies du ski de randonnée, universellement connu sous le nom de ski de fond. Il n'est pas rare de rencontrer des personnes ayant dépassé la cinquantaine affirmer que l'hiver a changé d'aspect pour elles depuis qu'elles ont fait connaissance avec ce sport de plein air; qu'elles attendent la fin de semaine avec impatience et que leur état de santé s'est considérablement amélioré.

Le ski de randonnée est une forme de récréation qui permet à toute la famille de partir à la découverte des merveilles de l'hiver. Point n'est besoin de s'éloigner beaucoup de la maison: un terrain vague, un parcours de golf, n'importe quel espace libre couvert d'un peu de neige suffit à la pratique du ski de randonnée. Ce sport est le moyen idéal pour se soustraire aux foules, au bruit et au stress de la vie urbaine.

Moins difficile à apprendre, le ski de randonnée occasionne beaucoup moins de dépenses que le ski alpin. Pas question, pour l'amateur de ce sport, d'investir une petite fortune en équipement et de se ruiner avec les remontées mécaniques. L'essentiel de l'équipement nécessaire au ski de randonnée coûte peu, et la forêt est ouverte à qui veut s'aventurer avec ses skis, sa carte, sa boussole et de légères provisions.

Le Québec, de par sa géographie même, est un véritable paradis pour le ski de randonnée. De plus, des centaines de sentiers s'ouvrent chaque année à tous les skieurs. Les exploitants des stations de ski alpin s'intéressent de plus en plus au ski de randonnée et plusieurs centres étendent maintenant leurs services — qu'il s'agisse d'installations ou d'enseignement — aux amateurs de ski de randonnée. De nombreux clubs se fondent à travers tout le Québec et l'uniformité de l'enseignement des techniques de ce sport est assurée par l'Association Canadienne de Ski (Division du Québec) et par l'Association Canadienne des Moniteurs de Ski Nordique.

3

Si vous aimez la nature, si vous voulez vous tenir en forme et pratiquer un sport peu coûteux, essayez le ski de randonnée et vous verrez qu'il n'y a rien de pareil.

CONDITIONNEMENT PHYSIQUE

Un long programme de conditionnement physique n'est pas nécessaire pour se préparer à la pratique du ski de randonnée. D'ailleurs bien des gens trouveraient trop fastidieux de s'y astreindre. Il faut toutefois, pour vraiment profiter des plaisirs du ski de randonnée et améliorer sa technique, se tenir en forme en faisant, avant et après la saison, des exercices faciles tels que la marche en montagne (randonnée pédestre), le jogging, la bicyclette, le canotage, etc. On pourra aussi faire avec profit des exercices de gymnastique simples, destinés à renforcer les bras, les jarrets, ainsi que les muscles abdominaux et dorsaux.

Souvenez-vous d'une chose: le ski de randonnée est un sport complet. Il raffermit la musculature, facilite la respiration et améliore le rendement cardio-vasculaire. Tout en favorisant la détente, il développe l'endurance du corps humain.

SI VOUS VOULEZ ÊTRE EN FORME

Pour votre prochaine randonnée, voici quelques petits conseils qui vous seront, je l'espère, très utiles.

Les fervents du ski de randonnée soupirent parfois longtemps avant de chausser leurs skis pour la première fois de l'hiver. Dès que la neige répond à leurs désirs, ils s'élancent avec une ardeur juvénile. Mais, voici qu'après une quinzaine de minutes, ils sont fatigués et souvent déçus. Il est pourtant facile d'éviter les déceptions et d'intensifier un plaisir si longuement désiré.

Il suffit de se rappeler l'importance du conditionnement physique avant le début de la saison de ski. A cet effet, certains exercices spécifiques sont très fortement recommandés.

Inutile de chercher une échappatoire en disant que le temps fait défaut. Ce n'est pas la durée des exercices qui importe, mais bien la qualité. Trois sessions de quinze à vingt minutes par semaine suffiront à procurer le minimum de conditionnement physique requis pour une bonne première randonnée.

Pour développer l'endurance, la force, l'agilité et la flexibilité, il y a des exercices à la portée de chacun et l'on peut suivre son propre rythme. Voici des recommandations qui ont donné d'heureux résultats, selon le témoignage du professeur Thomas Cureton de l'Université d'Illinois.

1. Quand vaut-il mieux s'entraîner?

Il faut se fixer un horaire possible et raisonnable: de 2 à 4 heures après les repas. Les gens qui sont assis toute la journée ou presque devraient se lever et faire quelques mouvements au moins à chaque heure.

2. Marche et course

Durée: 15 à 20 minutes.
Rythme: lent.
Effet: réchauffement, prévention des blessures.

Méthode:
a) Exercices préliminaires: flexion, élongation ,course sur place.
b) Marcher avant de courir.
c) Pour bien doser l'activité, il faut augmenter graduellement le travail en fournissant un maximum d'effort, puis en diminuant. Marcher l'équivalent d'un tour de piste ou la distance entre deux rues. Puis faire cette même distance en trottant. Répéter cet exercice. Autres suggestions: marcher un certain parcours et jogger le triple ou le quadruple de ce parcours. Courir une bonne distance à un rythme régulier et y intercaler des périodes de marche.
d) Le progrès est en fonction du travail accompli: 30, 45 ou 60 minutes de travail correspondent à 100, 300 ou 500 calories de chaleur.
e) Pour la récupération, il faut demeurer en mouvement. Si possible, nager pendant quelques minutes, passer aux douches chaudes, puis froides. On respire le plus profondément possible pour forcer tout l'air à sortir des poumons. On étire tous les muscles qui ont eu à fournir des efforts. On évite de fumer car la nicotine referme les capillaires pulmonaires.

3. Exercices

Tous les exercices qui composent des efforts rythmiques continuels sont recommandés pour forcer la circulation et la respiration.

Circulation:

Conditions favorables: position horizontale; ambiance fraîche de préférence à la chaleur; mouvements rythmiques comme stimulants de préférence aux efforts continus.

Respiration:

Pour éliminer la fatigue, il convient de rythmer la respiration selon les exercices et d'assurer une bonne ventilation. Il est nécessaire de respirer profondément durant les exercices difficiles.

Muscles de posture:

Faire travailler le cou, les épaules, l'abdomen, le bassin, les cuisses, les muscles fléchisseurs du pied. Les muscles de posture doivent être suffisamment détendus pour permettre une bonne circulation et suffisamment forts pour résister à la pesanteur ou à la fatigue.

Flexibilité:

Tout muscle inactif ou tendu trop longtemps se raidit. L'élongation musculaire quotidienne est essentielle pour la flexibilité qui diminue avec l'âge. Une période de réchauffement doit précéder les exercices de flexibilité. La température de la pièce devrait se maintenir à 75°F.

Force:

Pour développer la force, on doit s'attaquer à des éléments résistants. Exercices recommandés: lever un poids, pousser et tirer; "Medecine Balls", poulies, machines à résistance, etc.

On active ses muscles soi-même, sans recourir aux massages passifs (manipulation, utilisation d'appareils thermiques ou de vibrateurs).

4. Comment protéger son coeur?

Il faut se réchauffer graduellement avant de commencer un travail dur, avant de s'exposer au chaud ou au froid. On évite de trop prolonger les tensions fortes et l'on travaille dans un endroit bien aéré. Un examen médical est recommandé.

5. **A éviter: le stress**

   Le stress est habituellement causé par des émotions trop fortes. Il faut alors penser à faire diversion soit par la promenade, soit par un changement de milieu physique, etc.

6. **A ménager: le système nerveux sympathique**

   Tout exercice violent excite ce système et conséquemment le fonctionnement glandulaire. Les taux d'adrénaline et d'iode doivent être équilibrés.

7. **Alimentation**

   Pour absorber complètement la nourriture, il faut brûler de 1 à 15 calories par minute, suivant l'intensité de l'exercice accompli. Le temps consacré à un travail quelconque, à un rythme donné, détermine la quantité de nourriture nécessaire. Pour perdre une livre de graisse, il faut brûler de 3 500 à 4 380 calories, suivant la capacité du système respiratoire. Pour éliminer la graisse, c'est une question de temps; il n'y a pas de raccourci.

   Plus on a du travail dur à fournir, plus la nourriture doit comporter des vitamines B-complexe et C, et des aliments riches tels que le germe de blé et l'huile de germe de blé.

   Les légumes rouges, verts et jaunes sont conseillés, de même que le lait et les viandes maigres qui sont des aliments de protection.

   Si vous voulez être en forme, il n'en tient qu'à vous . . .

LE CHOIX DE VOTRE ÉQUIPEMENT

Il est important, si l'on veut bien profiter des plaisirs du ski de randonnée, d'être convenablement équipé. Il m'est arrivé de constater que des débutants mal renseignés chaussaient, pour leur première sortie, des skis de compétition beaucoup trop fragiles et de contrôle trop difficile pour des personnes qui n'en étaient qu'au stade de l'initiation.

LES SKIS

Les skis de randonnée que l'on peut acheter aujourd'hui sont faits de bois, de fibre de verre ou d'une combinaison des deux. La pesanteur et la largeur des skis varient selon les nécessités d'utilisation.

Ski de compétition

Ski de semi-randonnée

Ski de randonnée

Ski alpin

CATÉGORIES DE SKIS

Randonnée: D'une largeur de trois pouces, il est recommandé à celui qui ne se contente pas de skier uniquement dans les sentiers. Je le conseille aussi à celui qui a atteint un certain âge, et ce, à cause de sa base plus large.

Semi-randonnée: Le plus souvent utilisé au Québec, d'une largeur de deux pouces et quart, il est d'ordinaire léger et souple, avec une spatule flexible et un talon plus rigide. C'est le ski idéal pour le débutant.

Compétition: Nettement plus léger — une paire pèse trois livres et douze onces — il n'a qu'une largeur de deux pouces. Il convient à celui qui s'intéresse tout spécialement à la compétition.

Recommandation: Au débutant, je recommande le ski de semi-randonnée. Toutefois, un ski de randonnée peut également bien faire mais cela dépend de la condition physique du skieur.

SORTES DE SKIS

Bois: Il faut choisir un ski ayant le plus de "laminations" (couches superposées) possibles. Le ski fabriqué de bouleau à base molle est à déconseiller car celui qui a une base de noyer résiste plus à la glace. Il existe aussi d'autres skis avec base de noyer et carrés de lignite qui permettent une plus grande durabilité des côtés.

Fibre de verre: Ce ski qui devient de plus en plus populaire et dont la construction à l'intérieur se compose d'une matière synthétique, s'améliore graduellement mais on n'en connaît pas encore toutes les qualités.

Fibre et bois: C'est un ski de fibre de verre à l'intérieur duquel se trouve le bois. Ici la qualité du ski sera déterminée par le nombre de "laminations". Il demande moins d'entretien que le ski de bois et il est beaucoup plus résistant.

Recommandation: Le débutant peut entreprendre sa première randonnée avec un bois laminé et par la suite le ski de fibre et bois ou de fibre de verre pourra répondre aux besoins de l'intermédiaire et de l'expert.

LONGUEUR DES SKIS

Lorsque vous achetez une paire de skis, vous devez considérer trois facteurs:
a) le poids et la taille du skieur;
b) la technique du skieur;
c) le genre d'utilisation qui sera faite des skis.

La meilleure façon de déterminer la longueur exacte de vos skis est de vous tenir droit et de tendre un bras au-dessus de la tête: votre poignet devrait toucher le bout de la spatule du ski.

Mesure du ski
et du bâton

Aux skieurs de petite taille et à ceux qui ont une forte ossature, je suggère des skis plus longs car un ski court exige beaucoup plus d'équilibre et une bonne maîtrise de la technique.

Le prix d'une paire de skis de randonnée peut varier de \$35 à \$150.

LES FIXATIONS

Les fixations sont les pièces métalliques ou de matière plastique posées au centre du ski et qui servent à relier la chaussure au ski. Elles visent à assurer le contrôle du ski tout en donnant un maximum de liberté au talon.

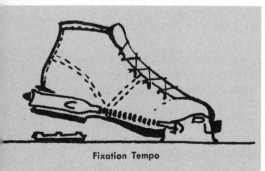

Fixation Tempo

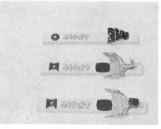

Variété de fixations
souricières avec talonnière

10

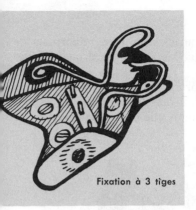

Fixation à 3 tiges

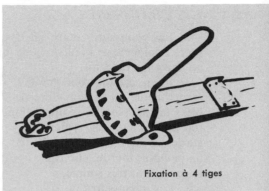

Fixation à 4 tiges

D'une fabrication très simple, les fixations à tiges de presque toutes les marques retiennent bien l'avant de la chaussure et permettent une bonne flexion avant. Il est très important que la semelle de la chaussure soit de la bonne largeur pour vous assurer un contrôle efficace du ski et une meilleure retenue.

En plus des fixations, il est également essentiel de se procurer les talonnières qui servent à assurer la stabilité du talon lors du transfert de poids ou à l'occasion des descentes. Les talonnières préviennent aussi l'amoncellement de neige ou de glace sous le talon.

Le prix des fixations, pour une paire de skis, peut varier de $8 à $15. Les talonnières, pour une paire de skis, coûtent environ $3.

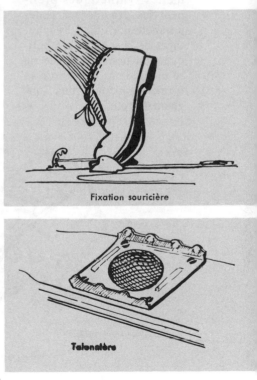

Fixation souricière

Talonnière

11

LES CHAUSSURES

Les chaussures étant un des articles les plus importants de votre équipement, il est logique qu'elles soient aussi confortables qu'une paire de gants.

Il en existe trois grandes sortes, mais celle que je vous recommande est la chaussure de semi-randonnée. Celle-ci ressemble à la chaussure de compétition, mais elle est un peu plus haute (la tige s'élève légèrement au-dessus de la cheville) et un peu plus lourde; elle reste cependant très souple.

Les chaussures à semelles synthétiques prennent les devants sur celles à semelles de cuir. Les avantages de la semelle synthétique sont nombreux: elle ne se mouille pas, elle garde sa forme beaucoup plus longuement, etc.

Randonnée   Semi-randonnée   Compétition

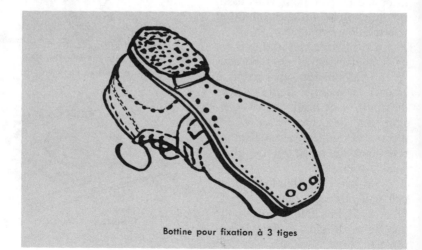

Bottine pour fixation à 3 tiges

Dans l'achat de la chaussure, il faut évidemment tenir compte de la qualité du cuir. Il faut vérifier si la semelle est collée, injectée ou vulcanisée. Ici, la différence dans les prix justifiera la qualité.

Quant à la chaussure doublée de simili-mouton, elle prend légèrement plus de temps à sécher une fois humide.

Une bonne paire de chaussures de ski de randonnée coûte environ de $30 à $75.

Il est recommandé de porter un bas mince (coton ou laine fine) immédiatement sur la peau, lequel sera recouvert d'un épais bas de laine.

Si vous voulez prolonger la durabilité de vos chaussures, vous les enduirez, de temps à autre, de graisse de silicone et vous les bourrerez de papier pour les faire sécher, de façon que le cuir conserve sa souplesse. Vous éviterez aussi d'exposer vos chaussures à une chaleur trop intense.

LES BÂTONS

Les bâtons comptent pour beaucoup dans l'équipement puisqu'ils assurent l'équilibre du skieur et l'aident à se propulser en avant.

Tout comme pour les skis, il y a une façon de déterminer la longueur des bâtons:

a) se tenir debout, pieds rapprochés;

b) placer le bâton à la verticale, pointe au sol à côté de soi;

c) la poignée du bâton devrait arriver alors au

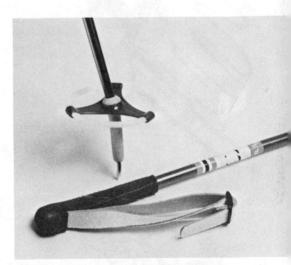

Bâton de randonnée et de compétition, aluminium oxydé. Poignée cuir, rondelle et pointe obliques. Longueur 120 — 160 cm. 5 cm d'intervalle.

creux de l'aisselle (illustration p. 10).

Il y a quatre types de bâtons:

a) en bambou du Tonkin; ce sont les moins chers et les plus souvent utilisés;

b) en fibre de verre;

c) en métal;

d) en fibre de carbonne.

La poignée est ordinairement striée afin d'assurer une meilleure prise, et elle se termine par une dragonne (courroie) ajustable. L'extrémité inférieure du bâton est munie d'une rondelle (ou panier) assez grande pour assurer une bonne poussée. La pointe de métal qui termine le bâton a une courbure de 30° du côté opposé à la dragonne. Cette pointe assure l'entrée et le retrait faciles du bâton dans la neige.

Une paire de bâtons coûte de $15 à $125.

LES VÊTEMENTS ET LES ACCESSOIRES

Il serait trop long d'énumérer ici tout l'équipement qui pourrait vous être nécessaire, mais l'essentiel est de vous souvenir qu'en randonnée vous dépensez beaucoup d'énergie et produisez beaucoup de chaleur. Il est donc important de conserver une température constante autour du corps, tout en permettant une bonne circulation d'air. Pour les sous-vêtements, je vous conseille le tricot de coton ajouré. Il importe ici que la partie inférieure du dos (région lombaire) soit couverte. Au lieu d'un pantalon, on portera des knickers légers avec des bas de golf de type norvégien: on jouira ainsi d'une plus grande liberté de mouvements. Une chemise de coton, ou un chandail, et un anorak revêtiront la partie supérieure du corps.

Une tuque pouvant couvrir entièrement la tête, la nuque et les oreilles ainsi que des mitaines de cuir sont essentielles.

Si vous partez pour une longue randonnée, il faudra que votre sac à dos contienne les accessoires nécessaires en cas d'urgence tels que guêtres (fort

...ules — Sac pour ski — Courroie — Gants — Bas
...vre sur le ski de randonnée

15

utiles lorsqu'il s'agit d'ouvrir une piste dans la neige poudreuse), gilet supplémentaire, trousse de premiers soins, nourriture et boisson chaude, farts divers, grattoir, liège, spatule de rechange en cas de bris d'un ski, rondelle de rechange, allumettes, couteau, tourne-vis, pinces, fil d'acier, lacets, carte et boussole.

Cette énumération peut paraître longue mais, lorsqu'on part en randonnée, il vaut mieux prévenir que guérir.

ÉQUIPEMENT POUR ENFANTS

L'équipement complet pour les enfants de 4 à 14 ans peut être également obtenu chez différents marchands; mais je vous conseille de choisir une pointure plutôt grande pour la bottine et le ski, car il faut prendre en considération la période de croissance de l'enfant ainsi que la durabilité de l'équipement.

Plusieurs boutiques qui se spécialisent dans la vente de l'équipement de ski de fond prendront en échange votre équipement usagé en vous offrant un rabais sur votre nouvel achat.

L'équipement complet pour enfants coûte environ de $65 à $90.

LA PRÉPARATION DES SKIS

LA PRÉPARATION DE BASE

Si vos skis sont faits de bois, il est nécessaire, avant de les chausser au début de la saison, de les préparer afin qu'ils puissent vous servir mieux et plus longtemps. Cette préparation a un triple but:

a) rendre la base du ski imperméable;

b) protéger la base contre l'usure;

c) offrir au fart (cire) une meilleure surface d'adhérence.

Cette préparation se fait en deux temps:

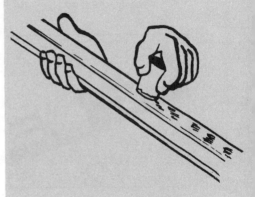

1° Il faut d'abord bien polir la base en la frottant légèrement avec de la laine d'acier n° 0.

2° Il faut ensuite appliquer une mince couche de goudron liquide (en vente dans toutes les boutiques bien équipées). Le goudron liquide est facile à appliquer et sèche en quelques minutes. Les plus expérimentés pourront utiliser le goudron en pâte que l'on doit chauffer jusqu'à ébullition avec l'aide d'un chalumeau.

Il est certain qu'une seule application de goudron ne suffira pas pour tout l'hiver. Cette application doit se faire jusqu'à cinq ou six fois par saison, selon la fréquence des sorties, les conditions de la neige et les distances parcourues.

Les skis possédant une base synthétique (polyéthylène) ne nécessitent habituellement pas de préparation de base pour la semelle. Cependant, comme les semelles de polyéthylène neuves sont sèches et rugueuses et que leur texture varie selon le fabricant, voici quelques conseils qui vous seront d'une grande utilité pour cette préparation spéciale de la semelle.

A la préparation, on imprègne les semelles neuves de fart et, pour que le ski glisse mieux, on polit les surfaces "poilues". Voici les différentes étapes:

1. Chauffage du fer à farter

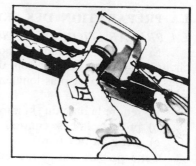

2. Fartage à chaud avec de la paraffine

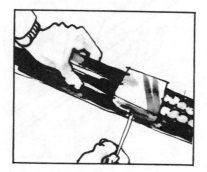

3. Bien étendre

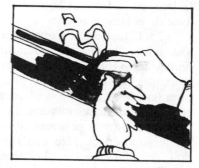

4. Passer le grattoir

5. Passer le grattoir

6. Polir

18

Placez les skis à l'horizontale, la semelle vers le haut: faites chauffer un fer à farter avec une torche, ou mieux, employez un fer électrique. Chauffez modérément, l'idéal étant de 100°C. Appliquez SWIX Red Glider en bandes dans le sens de la longueur, en appuyant le tube de fart contre le fer. Aplanissez en faisant circuler le fer sur toute la longueur de la semelle.

Laissez refroidir 15 minutes environ, puis grattez le fart de manière à n'en laisser qu'une mince couche, en utilisant de préférence un grattoir SWIX en plastique, qui n'endommage pas la semelle. Puis retirez l'excès de fart dans la rainure centrale avec un objet en plastique au bout arrondi; le bouchon applicateur de Klister SWIX est idéal à cet effet. Egalisez à l'aide de papier sablé à grains fins. Le résultat obtenu devrait être des semelles lisses, comme si tout le fart en avait été retiré. Seul subsiste le fart qui a pénétré dans la semelle. Pour faciliter l'adhésion de la dernière couche du fart (accrocheur), retirez de la section centrale, soit sur 90 cm environ, le maximum de fart possible.

Les skis à base spéciale (écailles de poisson, peluche, etc.) ne demandent aucun fartage.

LE FARTAGE

Bien des personnes croient que le fartage est quelque chose d'extrêmement compliqué. Cela n'a rien pour me surprendre car

FARTS SWI

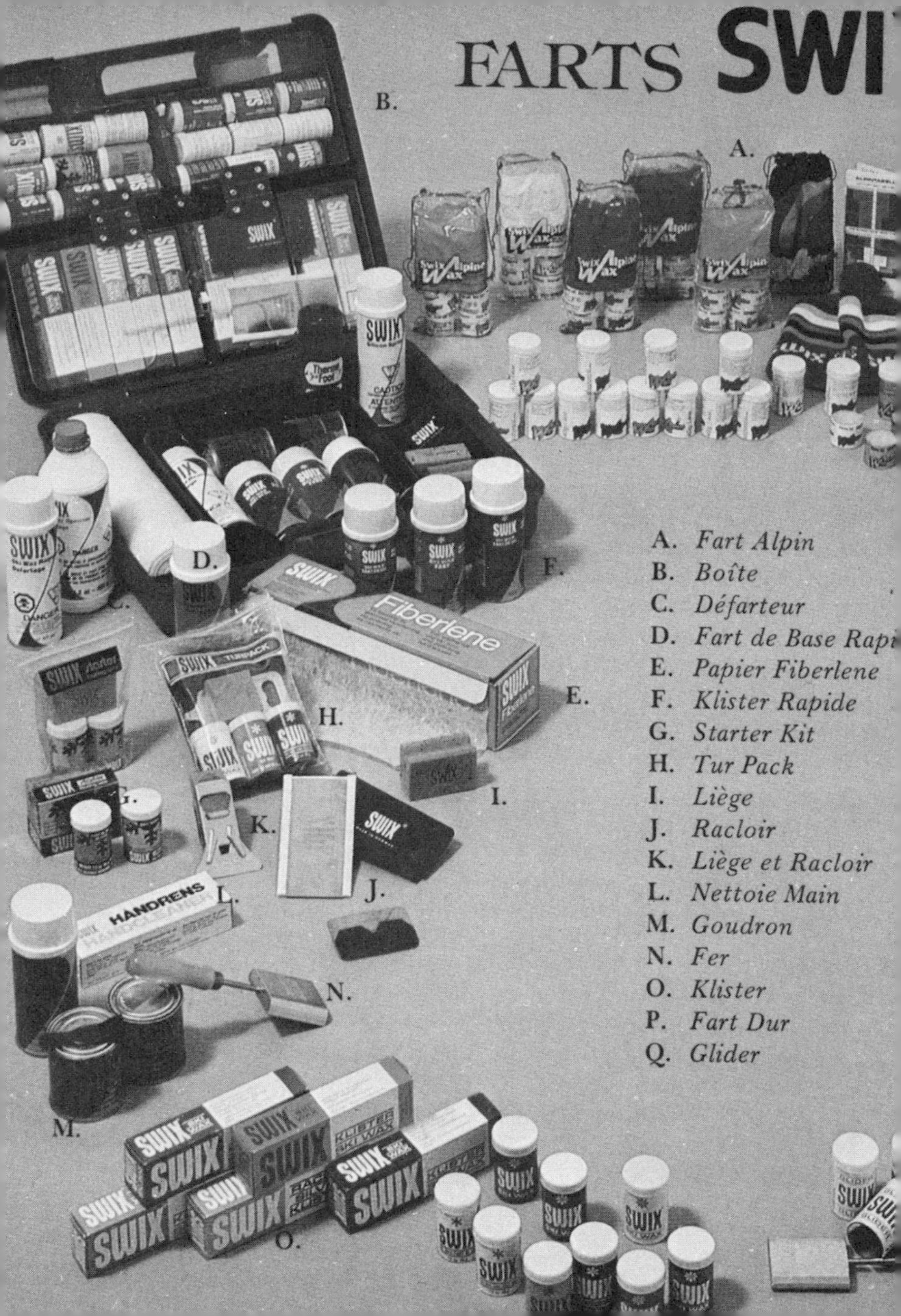

A. Fart Alpin
B. Boîte
C. Défarteur
D. Fart de Base Rapi
E. Papier Fiberlene
F. Klister Rapide
G. Starter Kit
H. Tur Pack
I. Liège
J. Racloir
K. Liège et Racloir
L. Nettoie Main
M. Goudron
N. Fer
O. Klister
P. Fart Dur
Q. Glider

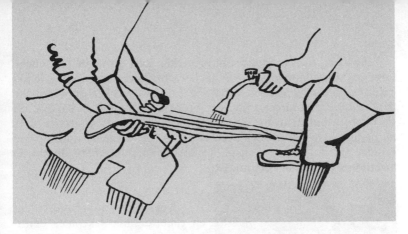

plusieurs instructeurs et marchands donnent l'impression que, pour faire de la randonnée, on doit se procurer environ quinze sortes de farts, sans mentionner les klisters. Il est vrai que le skieur de compétition est obligé d'utiliser une assez grande variété de farts, mais, pour l'amateur de randonnées, quelques farts appropriés suffisent.

Le principe général à appliquer lorsqu'il s'agit de décider quel fart employer est le suivant: plus la neige est dure, plus le fart doit être dur; et plus la neige est molle, plus le fart doit être mou.

En principe, le rôle du fart est de donner un meilleur glissement sur terrain plat et en descente, et d'agir comme antidérapant en montée.

Les farts, quelle que soit leur marque (Rex, Swix, Toko, Rode, Fall Line), se classent en trois catégories: les farts durs, les farts mous, les klisters.

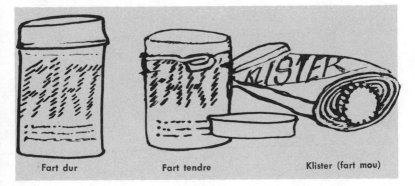

Fart dur   Fart tendre   Klister (fart mou)

21

Les farts durs et mous sont présentés sous forme de bâtonnets. Les farts durs s'appliquent très facilement: après avoir frotté le ski sur toute sa longueur avec le bâtonnet de fart, on égalise la couche de cire avec un morceau de liège et on s'assure que la surface du ski est bien polie, du bas de la spatule au talon. Les farts tendres ou mous peuvent s'égaliser avec la paume de la main; si l'on passe rapidement la flamme d'un petit chalumeau sur la base du ski, le fart mou s'étendra encore mieux.

Les klisters qui se présentent en tube, comme les pâtes dentifrices, peuvent être étalés à l'aide d'un liège ou d'un petit chalumeau. On les retrouve aussi en cannette sous forme de vaporisateur.

Lorsque la neige sèche est en train de se transformer en neige mouillée, le fartage crée certains problèmes. Le meilleur résultat s'obtient généralement en mélangeant deux types de fart à degrés de dureté différents. Si le bleu ne retient pas suffisamment, appliquez une mince couche de violet sous le milieu du ski. Si cela n'est pas suffisant, on étendra du violet sous l'ensemble du ski et en couches de plus en plus épaisses au fur et à mesure que la neige deviendra plus humide. Commencez toujours par un fart trop dur

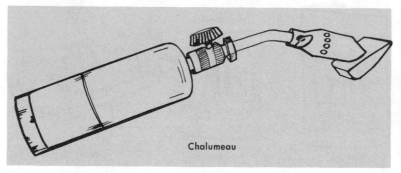

Chalumeau

22

plutôt que trop mou car le fart mou gèle plus facilement. Sur une neige gelée en train de devenir mouillée, il est préférable d'utiliser le klister violet. Sur une neige mouillée, l'épaisseur du klister a une grande influence sur le glissement et sur la retenue; en cas de doute, fartez trop fin plutôt que trop épais.

Les skis à semelles synthétiques correctement fartés glissent mieux, spécialement sur une neige mouillée, mais ces skis demandent une couche plus épaisse au milieu pour obtenir la même retenue que l'on a avec les skis à semelles de bois.

Aux débutants et à ceux que rebutent les subtilités du fartage, je recommande les farts de la trousse Swix qui ne comptent que deux catégories: or, pour neige sèche et argent, pour neige mouillée. Je les ai essayés et je puis vous assurer qu'ils sont très efficaces.

N'oubliez pas qu'on ne peut appliquer un fart dur par-dessus une couche de fart tendre. Si la température ou l'état de la neige change, il faudra nettoyer vos skis à l'aide du grattoir si vous avez utilisé des farts durs, ou du chalumeau, si vous avez utilisé des farts tendres ou des klisters.

Si vous employez un solvant, assurez-vous qu'il ne contienne pas de matières grasses telle la gazoline, car l'application du fart deviendra impossible.

Je vous propose maintenant un tableau de fartage qui, sans entrer dans trop de détails, devrait vous renseigner suffisamment sur les farts à utiliser selon qu'il fait plus ou moins froid et selon l'état variable de la neige.

La qualité du fartage dépend de la connaissance pratique des différents farts et de l'expérience qu'on peut avoir du ski de randonnée.

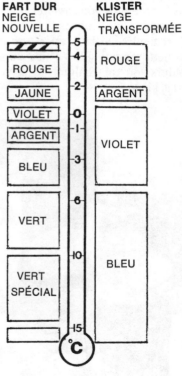

(Ces données se rapportent aux produits SWIX)

Les mouvements de base du ski de randonnée ne sont pas difficiles à apprendre. Dans mes explications sur la technique de ce sport, je me bornerai strictement aux mouvements essentiels que vous devez maîtriser, que ce soit sur terrain plat, en montée ou en descente.

PREMIERS EXERCICES

Je vous suggère, pour votre première expérience, de choisir une journée de beau temps où la température se situera entre 10° et 30°F. Vous n'aurez pas ainsi de problèmes de fartage, vous serez plus à l'aise pour exécuter vos mouvements et l'exercice pourra durer plus longtemps. Les endroits les plus pratiques pour

les débutants sont les terrains plats tels que les cours d'école, les parcs, les terrains de golf, etc.

Les exercices que je propose ci-dessous doivent être accomplis selon la séquence suggérée car ils ont été conçus selon un ordre de progression visant à vous amener graduellement à une bonne utilisation de votre équipement.

MOUVEMENTS FONDAMENTAUX

1. Marcher en soulevant légèrement les skis.
2. Sautiller ou courir sur ses skis.
3. Marcher en changeant de direction de droite à gauche et vice versa.
4. Décrire un cercle en tournant autour des spatules et des talons.

Une fois ces exercices maîtrisés, vous pouvez passer à la leçon suivante.

Virage autour des talons

Virage autour des spatules

26

TOMBER ET
SE RELEVER

Une fois tombé (volontairement ou involontairement), roulez-vous sur le côté, ramenez vos deux genoux près de l'abdomen, mettez les deux bâtons debout l'un tout près de l'autre, posez une main sur les paniers et saisissez de l'autre la base des poignées. Vous pouvez maintenant vous relever facilement.

Voici une autre façon de se relever dans la neige épaisse:

1 — En appui sur les bâtons croisés.
2 — En position semi-accroupie, utilisez la force des jambes et l'appui des bâtons.

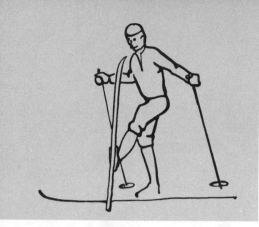

TOURNANT SUR TERRAIN PLAT (KICK TURN)

A gauche: tenir les skis parallèles, poser la base du bâton de gauche près du talon de droite et la base du bâton de droite près de la spatule de droite. En appuyant sur les bâtons, soulever le ski de gauche en levant bien la jambe vers l'arrière et y faire effectuer un angle de 180°, de façon qu'il vienne se poser parallèlement au ski de droite mais en sens inverse. Lever ensuite l'autre ski de la même façon et le ramener parallèlement au ski de gauche et dans le même sens.

A droite: utiliser la même technique en appliquant au côté droit ce qui a été dit pour le côté gauche et vice versa.

Cette technique est indispensable dans les montées en lacets. C'est pourquoi il est essentiel de la maîtriser des deux côtés.

28

Progression du pas alternatif

LE PAS ALTERNATIF

La clef de la technique du ski de fond est le pas alternatif. Ce pas signifie que le skieur se sert alternativement de la jambe et du bras opposés, imitant ainsi les mouvements de la marche ordinaire. Le bras plante le bâton en avant, tandis que la jambe opposée effectue la détente, c'est-à-dire la poussée arrière qui propulse le corps en avant. Pendant le même temps, l'autre jambe effectue un glissé à la faveur du transfert de poids à l'avant.

Dans l'ensemble du mouvement, la position de la main sur le bâton est importante. Quand le bâton est planté dans la neige, face au corps, la main doit être refermée sur la poignée, mais détendue. Lorsque le bâton et le bras passent près du corps, l'emprise devrait commencer à se relâcher. Lorsque le bras est tout à fait en arrière du corps, la main devrait relâcher sa prise et ne retenir le bâton qu'entre le pouce et les autres doigts.

Si vous avez de la difficulté, au tout début, à coordonner le mouvement des bras et des jambes, il sera bon de vous exercer pendant un certain temps sans bâtons.

Pas alternatif sans bâtons

Pas alternatif avec bâtons

LA DOUBLE POUSSÉE

Les deux bâtons peuvent être utilisés simultanément, afin d'accroître la vitesse, lorsque les conditions s'y prêtent, comme dans les descentes et dans les passages où creux et bosses se succèdent. Les skis sont alors parallèles, et le buste est incliné vers l'avant afin de faire porter le poids du corps sur les bâtons, les-

---

LE PAS COMBINÉ

Répartissez votre poids également sur les deux skis, les genoux légèrement fléchis.

Avancez les deux bras, supportez et poussez votre poids vers l'arrière avec la jambe droite. Lorsque la poussée de la jambe droite sera complètement terminée, vous glisserez naturellement sur le ski gauche et au même moment il s'agira de faire une extension vers l'avant afin de pouvoir vous servir de la plante des bâtons.

Une fois les bâtons plantés dans la neige, la jambe droite

Pas combiné

8   7   6

quels doivent être plantés à environ un pied en avant de la fixation. Le tronc est abaissé en flexion complète et les genoux sont fléchis. Quand les deux mains passent à la hauteur des genoux, les deux bras poussent vigoureusement vers l'arrière jusqu'à l'extension complète: c'est cette poussée qui fait glisser le skieur.

---

glissera vers l'avant et la pesanteur de votre corps incliné reposera sur vos bâtons afin d'effectuer une poussée vers l'arrière comme dans la technique appliquée de la double poussée.

Il est très important à la fin de ce mouvement de provoquer une extension complète des bras vers l'arrière afin de profiter le plus possible de cette double poussée.

Le pas combiné est ordinairement utilisé sur terrain plat et surtout après avoir obtenu l'élan du pas alternatif.

LES MONTÉES

Il y a plusieurs manières de gravir une pente: la montée directe, la montée en ciseaux, la montée en lacets (zigzags), la montée en demi-escalier et en escalier.

MONTÉE DIRECTE

montée directe

On emploie la montée directe lorsque la pente n'est pas trop abrupte. Le glissé est le même que pour le pas alternatif mais plus court. Le pied et le genou de la jambe qui glisse sont dans le même axe vertical, les genoux et les coudes sont fléchis davantage et la poussée sur les bâtons est plus courte. Il faut bien enfoncer le ski à chaque pas, en exerçant une pression sur le pied avant, si l'on ne veut pas que ce pied dérape lorsqu'ii devra effectuer la détente.

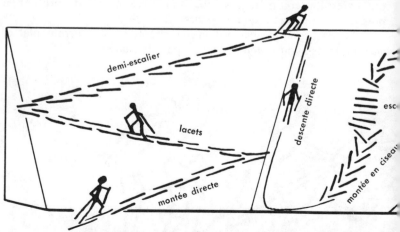

demi-escalier

lacets

descente directe

montée directe

esc

montée en ciseau

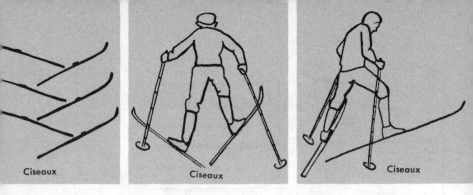

Ciseaux
Ciseaux
Ciseaux

MONTÉE EN CISEAUX

On utilise la technique de la montée en ciseaux lorsque les pentes sont courtes et abruptes. Les skis forment alors un V ouvert à 90° et les bâtons sont placés légèrement en arrière des chaussures de façon à fournir un solide appui.

MONTÉE EN LACETS

Cette méthode convient aux pentes longues et trop abruptes pour la montée directe. Il s'agit simplement de gravir la pente obliquement en utilisant le pas alternatif de la montée directe. Après une certaine distance, on fait demi-tour en utilisant si nécessaire la technique du "kick turn" et on continue la montée oblique en sens inverse. De la même façon, on fera le nombre de lacets nécessaires pour atteindre le sommet de la pente.

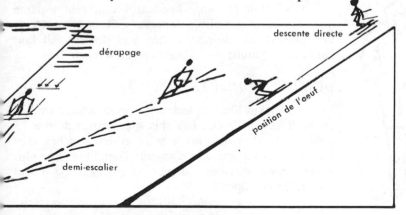

descente directe

dérapage

position de l'oeuf

demi-escalier

Ensemble des phases consécutives à répéter

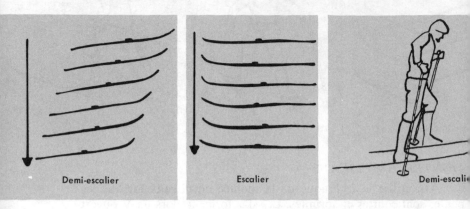

Demi-escalier

Escalier

Demi-escali...

MONTÉE EN DEMI-ESCALIER ET EN ESCALIER

C'est la méthode la plus facile pour gravir une pente, surtout lorsque celle-ci est étroite et abrupte. La technique est simple:

a) On place les skis parallèlement et en travers de la pente.

b) On utilise les carres pour obtenir un meilleur appui.

c) Le transfert du poids du corps se fait du ski aval (bas de la pente) au ski amont (haut de la pente) et l'on se sert des bâtons comme point d'appui.

LES DESCENTES ET LES VIRAGES

Les débutants appréhendent les descentes parce que l'étroitesse des pistes s'oppose souvent à l'accélération qui est nécessairement liée à la descente. Il faut varier la technique selon la nature du terrain.

DESCENTE DIRECTE

En terrain libre, la technique normalement utilisée est la descente directe. Les skis sont écartés de 6 à 15 pouces, les chevilles, les genoux et les hanches sont inclinés vers l'avant afin d'assurer l'équilibre. Les plus expérimentés peuvent adopter la position de l'oeuf utilisée en ski alpin.

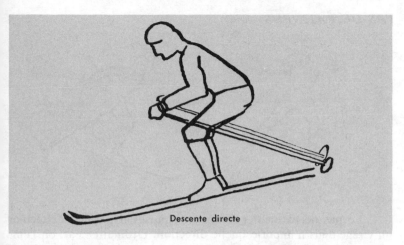

Descente directe

CHASSE-NEIGE

La technique du chasse-neige est fort utile lorsqu'il faut ralentir sa vitesse ou effectuer un virage. Il s'agit d'abaisser le tronc, de fléchir les genoux vers l'intérieur, de pousser les talons des skis vers l'extérieur et de prendre appui sur les bâtons. Le poids du corps est réparti également sur les deux skis. Si l'on veut tourner à droite ou à gauche, on n'a qu'à transférer le poids du corps sur le côté opposé à celui où l'on veut tourner.

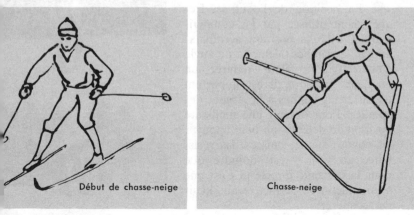

Début de chasse-neige

Chasse-neige

PAS DE PATINEUR

Le pas de patineur est très utile puisqu'il permet d'effectuer un virage dans n'importe quelle direction. Ordinairement, on l'emploie au bas d'une descente ou encore dans des courbes subites. La façon la plus facile de l'exécuter est de transférer son poids sur le ski aval puis de projeter tout le poids du corps dans la direction où l'on veut tourner. Pour parvenir à maîtriser le pas de patineur, plantez un bâton sur un terrain plat et exercez-vous à le contourner dans les deux sens.

RECHERCHE DE VITESSE: POSITION DE L'OEUF

La position de l'oeuf est fréquemment utilisée par les compétiteurs. C'est une position aérodynamique, les jambes fléchies à un angle d'environ 90°. Pour assurer un meilleur équilibre, il est important d'écarter les jambes à la largeur des épaules. Pour obtenir une meilleure position de détente, on peut appuyer les coudes sur les cuisses. La résistance au vent y est moindre que dans la descente directe et c'est une bonne façon de permettre au skieur de récupérer.

36

MÉTHODES DE FREINAGE AVEC LES BÂTONS

Première méthode. Il s'agit de tenir les deux bâtons ensemble du même côté, une main à mi-hauteur des bâtons et l'autre au-dessus des paniers. Le corps est légèrement fléchi, les poignées sont penchées vers le sol afin d'éviter les accidents, et la force appliquée sur les bâtons fait s'enfoncer les paniers dans la neige, ce qui ralentit automatiquement l'allure du skieur.

Deuxième méthode. Il s'agit de se tenir à cheval sur les bâtons croisés entre les deux jambes et d'exercer une traction sur les poignées vers le buste afin d'augmenter la résistance des paniers sur la neige. Le poids du corps doit être réparti également sur les deux bâtons, sinon on risque d'en briser un, si ce n'est les deux.

Les techniques de montée et de descente se maîtrisent par l'exercice, et la meilleure façon de progresser est de s'entraîner sur des pistes suffisamment larges et pas trop abruptes. Vous constaterez après un certain temps que le plaisir du ski de randonnée réside dans les montées autant que dans les descentes.

Les pistes de ski de fond sont de différentes longueurs, et une piste bien préparée se compose d'un tiers de terrain plat, d'un tiers de montée et d'un tiers de descente.

annexes

QUELQUES RÈGLES DE SÉCURITÉ POUR LE SKI DE RANDONNÉE

1. Assurez-vous, avant de partir, que votre équipement est en bon ordre.

2. Ne vous aventurez jamais seul sur des pistes inconnues. La sécurité exige que l'on soit au moins trois personnes pour faire une randonnée.

3. Si vous partez pour plusieurs heures, prévoyez tout l'équipement nécessaire: vêtements de rechange, nourriture, allumettes et articles nécessaires à la réparation de votre équipement.

4. Pour une longue randonnée, la boussole et la carte sont essentielles.

5. Si vous partez d'un endroit où il y a des personnes responsables, communiquez l'itinéraire que vous voulez suivre. Après la randonnée, signalez votre retour.

6. Par temps froid, ne vous arrêtez pas longtemps au même endroit. Il vaut mieux manger un peu, une fois de temps en temps, que de s'arrêter une demi-heure pour faire un vrai repas.

7. Il est important, lorsqu'on fait du ski de printemps, de se protéger les yeux des rayons ultraviolets en portant des verres fumés.

8. Tenez-vous en bonne condition physique en pratiquant une forme quelconque de sport tout au long de l'année.

9. Un bon nombre de pistes traversent des propriétés privées et les skieurs qui les empruntent sont priés de les respecter.

10. Les affiches et les balises placées le long des pistes sont vos guides, ne les détériorez pas.

11. Ne vous aventurez jamais sur un lac, surtout au début de l'hiver ou au printemps, sans vous être assuré de la solidité de la glace.

12. Respectez la flore et la faune; évitez tout geste pouvant polluer ou endommager l'environnement naturel.

13. Circulez uniquement dans les sentiers balisés.

14. Observez toutes les indications affichées près des sentiers.

15. Le skieur le plus rapide a priorité sur le plus lent. Cédez le passage à l'appel *piste* (ou *track*) en vous rangeant rapidement à droite et demandez-le de la même façon.

16. Dans les sentiers doubles, gardez la droite autant que possible. Les skieurs lents circuleront dans la piste de droite et à la file indienne.

17. Le skieur qui descend a priorité sur celui qui monte, et ce dernier doit lui céder la piste rapidement.

18. Tenez-vous relativement loin de celui qui vous précède et, dans les descentes, attendez qu'il soit rendu au bas avant de vous engager.

19. Dégagez rapidement la piste en cas de chute ou d'arrêt.

20. Aidez toute personne en difficulté.

localités et parcs

MONTRÉAL ET SES ENVIRONS

Coteau du Lac
Club Rivière Rouge
(514) 371-3520

Laval
Centre Récréatif Mt-Laval
675, boul. St-Martin
(514) 689-4220
Golf St-François
3000, boul. des Mille-Iles
(514) 666-4958

Montréal
Ile Sainte-Hélène, via
Pont Jacques Cartier
(514) 872-2180
Parc Angrignon
R. des Trinitaires
(514) 872-2045
Parc du Mont-Royal
Chemin Camilien Houde
(514) 872-3350

SUD DU QUÉBEC (y compris l'ESTRIE)

Bromont
Centre de ski de Bromont
Murray Yeudall
C.P. 29, rue Champlain
(514) 534-2200

Danville
Club du Mt-Scotch
Chemin Scotch Hill
(819) 839-3143

Drummondville
Parc des Voltigeurs
(819) 477-1360

East Angus
Station de ski de L'Elan
(819) 832-9011

Eastman
Institut Le Foyer Rond
C.P. 157
(819) 297-2104

Farnham
Ecole J. J. Bertrand
255, Saint-André
(514) 293-3181

Frampton
Mont Frampton
120, boul. Bégin
Saint-Anselme (Bell.)
(418) 479-9910
(418) 479-9221
(418) 479-2825

Granby
Shefford Valley, R. 112
(819) 372-1550

Lac-et-Chemin
Centre du Mont Orignal
(418) 625-2658

Magog
Club Wilkvaken, R.R. 1
(819) 843-5353
Parc du Mont Orford
C.P. 146
(819) 843-6233
(819) 843-1616

Mansonville (Potton)
Owl's Head Ski Aera
(514) 292-5592
Mtl 878-1453

Marsboro
Base du Lac Mégantic
Lac Mégantic
(819) 583-0630

Melbourne
Melbourne Vallée, Route 116
(819) 826-2081

North Hatley
Station Montjoie
(819) 842-8309
(819) 842-2928

N.-D.-de-la-Providence
Centre Roche d'Or
(418) 774-9191

St-Antoine-de-Tilly
Centre Terre Rouge Inc.
C.P. 71, Saint-Nicolas (Lévis)
(418) 831-1252

Saint-Bruno
Parc du Mont Saint-Bruno
Routes 20, 30

Saint-Daniel
Club de ski de Thetford
C.P. 261, Thetford Mines
(418) 487-2242

Saint-Georges-Ouest
Commission des Loisirs
1500, boul. Dionne
(418) 228-8600

Sainte-Marc-sur-Richelieu
Club St-Marc
Auberge Handfield
(514) 584-2226

Saint-Paul-de-Chester
Club des Bois-Francs
950 sud, boul. Bois-Francs
Arthabaska
(819) 382-2591

Sherbrooke
Service des Loisirs
1180 sud, rue Bowen
(819) 576-8897

Parc Jacques Cartier
Service des Loisirs
(819) 569-7471
(293)
Ferme Becket
Service des Loisirs

Stukely-Sud
Mont Bon Plaisir Inc.
C.P. 82, Eastman
(514) 297-3374

Sutton
The Farmer's Rest
R.R. 4
(514) 243-5224
(514) 243-6772
Sutton-en-Haut, C.P. 508
(514) 538-5067

Tracy
Club de golf Les Dunes
5620, Ch. Saint-Roch
(514) 743-6054

Upton
Base Le Manoir, C.P. 39
(514) 549-4617

Vallée-Jonction
Club de ski de Beauce
C.P. 292
(418) 253-7322
(418) 253-5308

Camp Jouvence
R.R. 1, Bonsecours
(819) 569-5011

LAURENTIDES

Estérel
Hôtel L'Estérel
(514) 288-2571
Mtl 866-8224

Huberdeau (Argenteuil)
Otter Lake Haus
(819) 687-2767

Labelle
Club des Marcheurs
Auberge La Clairière, C.P. 218
(819) 687-2544

Lac-Carré (Terrebonne)
Base Le P'tit Bonheur, C.P. 30
(514) 861-8113

L'Epiphanie
Club La Savane
85, Richard
(514) 588-3212

Mont-Gabriel
Auberge Mont-Gabriel
(514) 229-3547

Mont Tremblant

Centre de ski Bellevue
(819) 425-2734

Centre de ski Gray Rocks
(819) 425-2771

Cuttle's Tremblant Club
(819) 425-2731

Mont Tremblant Lodge
(819) 425-2711

Parc du Mont Tremblant,
via Lac Supérieur
(819) 688-2833

Morin Heights

Bellevue Ski Center
(514) 226-2003

Club de ski Viking
3515, rue Chartrand
Saint-Louis-de-Terrebonne
(514) 226-2344

Scan Sport
Ecole de ski Nordique

Oka

Parc Paul Sauvé
C.P. 447
(514) 479-8003
(514) 473-1460

Piedmont

Centre de ski Avila
C.P. 219
(514) 227-2603
Mtl (514) 861-6578

Club de golf et de ski de fond
de Piedmont
(514) 227-2562
Mtl 861--8055

Pine Hill

Centre du ski Ayers
C.P. 245, Lachute
(514) 533-4413

Sainte-Adèle

Centre de ski Le Chantecler
(514) 229-3555

Mont Alouette
Chemin du Vallon
(514) 229-2717

Saint-Adolphe-d'Howard

L'Avalanche
(819) 327-2411

Sainte-Agathe-des-Monts

Auberge La Calèche
125, rue du Tour du Lac
(819) 326-3753

Ski Mont Castor
299, Mont Castor
(819) 326-5003

Sainte-Béatrix

Mont d'Ailleboust
51, Ch. Sainte-Béatrix
(514) 883-6655

Saint-Donat (Montcalm)

Auberge La Perdrière
(819) 424-3052

La Cabouse
C.P. 30, Bureau Lussier
(819) 424-2552

Hôtel La Réserve
C.P. 58, R.R. 1, Lussier
(819) 424-2377

Saint-Félix-de-Valois

Club L'Erablière
C.P. 217, Joliette
(514) 756-4971

Saint-Gabriel-de-Brandon

Club de ski Lanaudière
1851, Chemin du Mont
(514) 835-2616

Sainte-Marguerite-Station

Alpine Inn
Mtl (514) 861-3258
(819) 322-2517

Saint-Michel-des-Saints

Club Jolinord
360, rue Beauséjour
(514) 833-6223

Saint-Sauveur

Mont Habitant
Mtl (514) 861-2283
227-2637

Mont Saint-Sauveur
C.P. 910
Mtl (514) 866-7190
227-2326

Shawbridge
McGill Outing Club
3480, McTavish, Montréal
(514) 392-8953

Val-David
Hôtel La Sapinière
Mont Plante, C.P. 308
(819) 322-2925
(819) 322-2020

Val-Morin
Belle Neige, Route 117
Mtl (514) 861-6655
(819) 322-3311
Camp Edphy, 14e avenue
(819) 322-3011
Far Hill Inn
Mtl (514) 866-2219
(819) 322-2014
Mont Sauvage, 2e avenue
(819) 322-2337

Saint-Jovite
Base de Plein Air, C.P. 515
(819) 425-2461
Club de ski de fond St-Jovite
Mont Tremblant
(819) 425-3300
Ferme Louisbourg
R.R. No 2 (groupes seulement)
(514) 331-0196
(819) 425-3061

Labelle
Camp Richelieu Quatre Saisons
Lac Caché
Mtl (514) 435-5341

Chertsey
Camp Boute-en-Train
(514) 882-2368
Mtl (514) 621-6540

OUTAOUAIS

Cantley
Mont Cascades Ski Club
(819) 827-0136

Lac Sainte-Marie
Mont Sainte-Marie
(819) 467-2812

Montebello
Le Château Montebello
109, rue Notre-Dame
(819) 423-6341

Old Chelsea
Camp Fortune
Parc de la Gatineau
(819) 827-1717

Papineauville
Mont Papineau, R.R. 2
(819) 983-2640

Perkins (Lac McGregor)
Katimavik
(819) 771-7992

St-Emile-de-Suffolk
Centre de la Petite Rouge
(819) 426-2191

Wakefield
Edelweiss Valley, R.R. 2
(819) 827-0552

MAURICIE

Grand-Mère
Vallée du Parc
1000, boul. Vallée du Parc
(819) 539-1639

Grandes Piles
Vallée Pruneau
Boul. Ducharme
(819) 538-4944

La Tuque
Club La Tuque Rouge
521, rue Elizabeth
(819) 523-2922

Mont Carmel
Centre de ski Mont Carmel
351 ,des Forges, T.-R.
(819) 375-4929

St-Etienne-des-Grès
Club Desgroseillers
Centre au Sable Fin
(819) 379-6255

Saint-Mathieu
Station Saint-Gérard
Bellemare (St-Maurice)
(418) 539-2727

St-Narcisse (Champlain)
Club de Saint-Narcisse
Chalet de la Montagne
(418) 328-3980

Sainte-Thècle
Club Le Geai Bleu, C.P. 125
(418) 289-2612

Shawinigan
Cegep de Shawinigan
2263, boul. du Collège
(819) 539-6401

Shawinigan-Sud
Club Gran Sha
3005, rang St-Mathieu
(819) 537-0401

Trois-Rivières
Club Métabéroutin, C.P. 488
(819) 376-3422

Université du Québec
3600, rue Ste-Marguerite
(819) 376-5254

NORD-OUEST DU QUÉBEC

Amos
Sentiers Amos
800E, 1re rue
(819) 732-6561

Arntield
Mont Kanasuta
C.P. 44, Noranda
(819) 764-5588

Barraute
Mont Vidéo
(819) 734-2193

Cadillac (Lac Normand)
Association Nor-Fond
114 - 3e rue, Noranda
(819) 762-2747

La Sarre
Commission des Loisirs
550, rue Principale
(819) 333-6727

Lebel Sur Quevillon
Club de Lebel Sur Quevillon
(819) 755-4826

Malartic
Base du Lac Mourier
C.P. 3090
(819) 757-3611

Val d'Or
Club de Val d'Or
C.P. 772, 1700, Brébeuf
(819) 824-4796

QUÉBEC ET SES ENVIRONS

Beaupré (St-Féréol Les Neiges)
Parc du Mont Sainte-Anne
C.P. 400, Beaupré
(418) 827-4561

Duchesnay (Ste-Catherine)
Station Forestière
Min. Terres et Forêts
(418) 875-2711

Lac Beauport
Centre de Plein Air
Chemin du Brûlé
(418) 849-4541

Lac Delage
Station de ski du Lac Delage
Centre administratif
(418) 848-2571

Lauzon
Club Le Faucon
77, Mgr Bourget
(418) 833-2735

Notre-Dame-des-Laurentides
Centre de Plein Air
640, Georges Muir
(418) 849-2264

Club Nez au Vent
Camp Villageois, N.-D.-des-Bois
(418) 849-5430

Parc des Laurentides
Camp Mercier
Direction des Parcs
150 est, boul. St-Cyrille
(418) 846-2811
(418) 643-5349

Pont-Rouge
Base de Plein Air, C.P. 279
(418) 873-4515

Québec
Parc des Champs de Bataille
Plaines d'Abraham

St-Adolphe (Stoneham)
Le Refuge du Domaine
Bill Dobson
(418) 848-3329

Saint-Alban (Portneuf)
Les Portes de l'Enfer
(418) 268-3693

Sainte-Brigitte-de-Laval
Club Ook Pik
11, Carré Prével - Neufchâtel
(418) 825-2264

Sainte-Foy
Base de Plein Air
1000, route de l'Eglise
(418) 657-5361
(418) 657-4245

St-Raymond (Portneuf)
Parc Naturel Saint-Raymond
197, rue Saint-Jacques
(418) 337-6488

Stoneham
Mont Hibou - 825, av. du Hibou
(418) 848-3283

SAGUENAY
LAC SAINT-JEAN

Alma
Club de ski de fond d'Alma
37, des Rapides
(418) 662-2661

Bagotville
Centre Plein Air Bec-Scie
C.P. 162, Port-Alfred
(418) 544-5433

Hébertville
Centre du Mont Lac Vert
Rang du Lac Vert
(418) 344-1966

Jonquière
Club le "Norvégien"
31, rue Lamarche
(418) 547-5023

Lac Bouchette
Centre Lac Bouchette
(418) 348-6464

Laterrière
Club du Saguenay
Mont Clairval - C.P. 271
Chicoutimi
(418) 549-1459

Mistassini
Do-Mi-Ski
180, rang Saint-Luc
(418) 276-4664

Péribonka
Centre de Plein Air
Rang Vauvert
(418) 374-2062

Saint-Félicien
Tobo-Ski, R.R. 6
(418) 679-1158
(418) 679-0696

Saint-Gédéon
Les Jeunes Aubergistes
Rang des Iles
(418) 345-2607

BAS ST-LAURENT
GASPÉSIE

Bic
Club La Foulée
134, rue Sainte-Cécile
(418) 736-4344

Cabano
Club Témiskifond
5, Saint-Laurent
(418) 854-6670

Cap Aux Os
Parc National Forillon

Cap Des Rosiers
C.P. 1220, Gaspé
(418) 368-5505

Cap Chat
Mont Chic-Chocs
Club Les Montagnais
3, rue du Ruisseau
(418)786-2461

Matane
Station Mont Castor
C.P. 21
(418) 562-9975

Matapédia
Loisirs Chamonix, C.P. 1
(418) 865-2105
(418) 865-2920

Mont-Joli
Mont-Comi
(418) 775-3475

New Richmond
Centre Saint-Edgar
C.P. 218, Saint-Edgar
(418) 392-4684

Notre-Dame-du-Rosaire
Centre Montmagny
45, rue du Peuple - Montmagny
(418) 248-0266

Pohénégamook
Base du Lac
Pohénégamook
(418) 859-2405

Sainte-Anne-des-Monts
Mont Bellevue
Service des Loisirs, C.P. 458
(418) 773-3545

Sainte-Blandine
Val Neigette
C.P. 344, Rimouski
(418) 735-2898

St-Damase (Matapédia)
Centre de Plein Air
(418) 776-2828

Saint-Donat (Rimouski)
Parc Mont-Comi
(418) 739-9924
(418) 739-3253

St-Honoré (Témiscouata)
Mont Citadelle
(418) 497-3792

Ste-Irène
Val d'Irène
C.P. 511, Sayabec
(418) 629-3450

Saint-Modeste
Sentier du Grand Portage
4, de Gaspé, Rivière-du-Loup
(418) 862-5890
Association Chasse et Pêche
109, Laval No 109
Rivière-du-Loup
(418) 862-5890

Saint-Onésime (Kamouraska)
Réserve Ixworth, Rang 4E

Saint-Pacôme
Côte des Chats
C.P. 996, La Pocatière
(418) 852-2019
(418) 852-2430

Saint-Mathieu
Mont Saint-Mathieu
(418) 738-9903

CHARLEVOIX

Baie-Comeau
Club Norfond
8, rue Casgrain
(418) 296-5193

Rivière Malbaie
Monts Grands-Fonds
C.P. 151, Pointe au Pic
(418) 665-3413

Shefferville
Centre de ski Bean Lake
C.P. 37

Si vous désirez obtenir plus de renseignements sur les sentiers et les clubs de ski de fond, communiquez avec:

Association Canadienne de Ski
333 River Road
Ottawa, Ontario
K1L 8B9

Ski Québec
1415 est, Jarry
Montréal, Qué.
H2E 2Z7

Association Canadienne des Moniteurs de Ski Nordique
3300, boul. Cavendish
Suite 350, Montréal, Qué.
H4B 2M8

Imprimé au Canada